KB075964

엄마의 별이 엄마였으면 좋겠어,

내가 아니고

북소리 지음

들어가는 말

결혼을 하고 한 아이의 엄마가 된 후에도,
엄마 앞에서 저는 늘 15살 혹은 20살 정도 즈음의 나
로 느껴지곤 했습니다.

여전히 그 때처럼 엄마에게 혼도 나고,
잔소리도 듣고, 엄마의 반찬과 도움을 받고,
때로는 과한 칭찬에 어깨도 으쓱하고 말입니다.

그런데 언제부터인가 문득 엄마가 점점 작고 여린 존
재로 느껴지는 때가 있었습니다.
그 때 즈음이었던 것 같습니다.

비로서 내가 예전의 엄마처럼 누군가의 보호자로 느
껴지던 때가 말입니다.

그제서야 저는 엄마를 '나의 엄마'가 아닌,
자신의 꿈과 청춘을 희생하며 엄마로, 아내로,
며느리로 평생을 살아온 한 여자의 헌신적인 일생에
서 바라볼 수 있게 되었습니다.

엄마도 나와 같이 이렇게 자식 때문에 가슴 아프고,
간절하고, 때로는 행복했겠구나.
힘들기도, 외롭기도 했었겠구나.
엄마도 '엄마의 엄마'가 필요할 때가 있었겠구나. 가족
에게 조차 숨기며 눈물 흘리던 장소가 있었겠구나.

그 모든 것을 알지 못하고 살아왔던 못한 딸의 마음과
뒤늦은 후회를 이 작은 책에 담습니다.

지금껏 어느 때보다 엄마의 별이 더 찬란히 빛나기를
바라는 간절한 마음을 담습니다.

북소리

목 차

텅 빈 거실에서 엄마는 무슨 생각을 했어?

힘내라, 우리 딸 제발 힘내라

마음 가는 대로 세상 밖 한걸음

엄마의 손을 감추지 말아요

왜 자꾸 미안하다고 말하는 건데

엄마는 어디서 울었어?

엄마의 손글씨를 간직해

그런 것들 별 거 아니야

엄마의 별이 엄마였음 좋겠어

아, 엄마, 우리 엄마

엄마,
결혼할 때 나는 우리 가족 사진을 가져오지 않았어.

내가 가져온 사진은 엄마의 젊은 시절 사진이야.
지금과는 너무 다른 모습이었지만,
단박에 엄마라는 걸 알 수 있었어.

1960년대 흔치않은 짧은 단발에
단정한 스웨터와 치마를 입고 마루 턱에 걸터 앉은 엄마.

나는 내 엄마가 아니었던
엄마를 바라봐.

엄마의 젊은 청춘과 꿈과
'ㅇㅇ야~' 이름으로 불리우던 그 시절 엄마를.

그저 엄마는 태어날 때부터
내 엄마로 살았던 것 것처럼 그 때의 엄마를
보지도, 알지도 못하고 살아왔네.

엄마,
결혼 이후 나는 때로 두렵게 느껴지는 생각이 있어.
'좋은 엄마'로 사는 댓가로 나를 잃어버리는 일.

점차 소멸해 가는 듯한 내 이름, 내 존재를 보는 그 두려움을 엄마도 느꼈을 것이란 생각을 왜 못했던 걸까?

엄마의 온갖 보살핌을 다 받아 살면서도 한번도 엄마의 꿈을, 빛나던 순간을, 과거의 영광을 묻지 않았던 가족들이 원망스럽지는 않았어?
엄마라는 이름이 지긋지긋할 때도 있지 않았어?

'역할'이 아닌 엄마 모습에는 관심도 없는, 엄마의 이름따위는 안중에도 없이 살아가는 가족들 틈에 사는 것, 그런 가족을 위해 자신의 시간과 정성을 온통 내 주며 사는 것이 말이야.

만약 한 마디라도 그런 마음을 건드려 주는 가족이 있었다면, 엄마는 그 때 조금은 더 행복하지 않았을까?...

엄마의 청춘을 함께 들어주는 딸이었다면,
이렇게 속절없이 빛바랜 추억으로만 남지 않았을 텐데...

이제야 알 것 같아.
한껏 차려진 밥상 위에 엄마의 그릇은 없었던 이유.

왜 엄마는 늘 혼자 밥을 먹을까?
가끔씩 이런 생각도 했지만, 대부분은 이런 장면에 익숙해
진 채로 우리는 엄마가 차려준 밥을 먹곤 했어.

결혼하고 내가 직접 밥상을 차려보니 전쟁같은
주방이더라.
겨우 밥상을 차려놓고, 폭탄맞은 듯 어지러운 주방을 대충
이라도 치우고 먹을라치면, 다른 식구들은 이미 다 밥을
먹고 자리를 떠났더라구.

혼자 식탁에 앉았지만,
남겨진 반찬들을 정리하느라 먹는 건지,
내 밥을 먹는 건지
알 수 없는 심정으로 젓가락질을 하다 보면
문득 그 어느 때보다도 외롭다는 생각이 들곤 했어.

가끔씩 엄마는 식탁 앞에 앉지도 못한 채
싱크대 앞에 서서 뭔가를 먹기도 했는데,
나는 그것이 엄마의 한 끼인 줄 생각조차도 못했어.

그 때 엄마의 밥상도 이렇게 외로왔어?
나는 이런 걸 짐작조차 못할 만큼 엄마의 노동에 대한 배려도, 의미도 모르고 지냈던 것 같아.

내가 만약 그 시절로 돌아갈 수 있다면 최대한 천천히,
천천히 밥을 먹으며 엄마를 기다릴 거야.

계속 그렇게 식탁에 앉아있으면
엄마는 그런 나를 위해서라도 전쟁터같은 주방을 대충 정리하고 와서 함께 앉아 밥을 먹었을지도 모르겠어.

그럼 엄마도 진짜 한끼 식사를 했을 테고,
외로움도 덜 했을텐데...

내일은 엄마를 위해서 갓 지은 솥밥으로 점심 밥상을 차려 볼까 해.
딸 집에 와서 편안하고, 당연한듯 밥상을 받아준다면 유난히도 기쁜 날이 될 것 같아.

내일 전화할게요, 엄마.

별 것 아닌 내가 정말 그렇게 기뻤어?

초등학교 걸스카웃 입단식이 있던 날 나는 좀 침울했어.
멋진 유니폼입고 교단에 올라가 대표 선서를 하고 싶었는데
못했거든.

전교 부회장이었던 나는 당연히 내가 할 것으로 기대했는
데, 실망이 이만저만이 아니었어.

결국은 운동장에서 다른 많은 단원들과 마찬가지로 줄을 선
채, 가슴에 걸스카웃 뱃지를 달아야 했잖아.

나는 엄마에게 좀 더 자랑스런 모습이 되지 못한 것이 챙피
하기도 하고 속상하기도 하고,
이상하게 미안하기도 했던것 같아.

그 날 엄마는 "축하한다"라고 말해 주었을까?
나는 무슨 말을 들었는지 기억이 나질 않아.

그런데 그 날 엄마의 미소는 선명하게 기억해.
내 가슴에 조그마한 뱃지를 달아주면서 운동장에 가득찼던
봄날 햇살 만큼이나 눈부시게 웃어주던
엄마 얼굴을…

"별 것 아닌 내가 엄마는 정말 기쁜 거야?"
나는 아마 속으로 이렇게 생각했는지도 모르겠어.

엄마는 정말로 기뻐보여서 나는 별 것 아닌 듯 다른 친구들
과 똑같이 서 있는 내가 정말 자랑스럽다는 생각까지 들 정
도였으니까.

정말 짧은 단편같은 기억인데
너무나 선명해서 가끔씩 생각날 때마다
나는 내가 뭔가 자랑스럽다는 느낌을 가지게 돼.

내가 정말 별 것 아니라고 느껴지는 그런 순간에
나를 보며 웃어주던 엄마의 환한 미소가
지금도 이렇게 나에게 힘을 주고 있어, 엄마...

엄마가 그렇게 예뻤던 이유

새 학년이 시작되면 늘 엄마들 학기도 시작되잖아.
매년 반장을 했던 나 때문에 엄마도 매년 학기초면 학교를
방문하곤 했고.

그 때는 참 이상했지?
마침 지나가던 길에 우연인것 처럼 임원 엄마들은 교실 밖
창문으로 우리를 바라보곤 했잖아.

나는 다른 엄마들 틈에서도 유난히 예쁘고 빛나던 엄마 미
소를 아직도 기억해.

엄마가 웃으면서 손을 흔들어 줄 때, 나는 너무 기뻐서 모
든 우리반 친구들이 '내 엄마'라는 걸 알아줬음 하는 생각도
들었어.

엄마가 그렇게 예뻤던 이유.

엄마는 학교가는 날이면 늘 귀걸이를 하고, 평소 입지 않던 멋진 옷을 입고, 뭔가 우아하게 펄이 들어간 머리스타일로 변신을 했으니까.

평소 작업복처럼 입고 있던 일상복을 벗고
정장을 찾고, 이것 저것 귀걸이를 바꿔보고,
화장대 앞에서 정성스럽게 화장을 하던 그 시간 속에도
엄마 자신은 없고, 오직 딸, 내가 있었던 거야.

우리 딸 학교 가는 날, 엄마는 꼭 예뻐야 했으니까.

젊고 아름다웠던 그 시절,
온전히 엄마가 엄마를 위해 한 일은 대체 무엇이었어?

우리를 키우던 엄마의 평생에 그런 일이 있기나 했던 거야?...

이미 답을 알고 있기 때문에 마음이 아프기만 해.

초등학교 소풍 날이면 유난히 일찍 잠이 깼어.
그런 날은 어김없이 주방 가득 김밥을 싸고 있는 엄마를
볼 수가 있었어

선생님 것까지 버거웠던 3단 도시락은 엄마 딸이 학교에
서 조금이라도 예쁨받기를 원하는 간절한 마음이었다는
걸 나는 지금에야 이렇게 온전하게 알게 돼.

그 무게에도 엄마의 마음은 모두 담기지 못했을 테지.

내가 소풍가는 것에만 마음이 들떠 있는 동안 엄마는 밤새
나와 선생님의 도시락을 싸며 힘든 시간을 보낸 거잖아.
오롯이 딸이 학교에서 기죽지 않고 칭찬받는 모습을 상상
하며 견뎌낸 그 밤이 엄마에겐 얼마나 길었을까.

엄마의 김밥 도시락은 정말 최고였는데...
깨끗이 비운 도시락통이 엄마에겐 위로가 되었을까?

그 때 나는, 어쩌면 우리 식구 모두가
밤을 세우는 엄마의 노동을 몰랐고,
그래서 그저 당연한듯 받기만 했어.

엄마가 나를 위해 해준 것 중에
당연한 것은 하나도 없었다는 것을,
그때는 정말 몰랐어.

미안하고 미안해, 엄마.

천 금같은 마음을 이제야 받아요

고등학생인 나는 항상 잠이 부족했고, 아침 일찍 등교를 해야 했어.
엄마는 빨리 먹을 수 있도록 준비한 아침 밥상을 늘 내 방까지 가져다 주면서 한 숟가락이라도 먹기를 바랬잖아.

지금 나도 딱 그런 심정으로 내 아들을 위한 아침상을 준비해. 하지만 아들은 얼굴 찡그리며 그런 밥상을 밀쳐내 버리더라.

나는 이제야 그 때의 내 모습이 보여.

매일 하루도 빠짐없이 아침밥상을 가지고 오면서
엄마 마음이 이렇게 간절했는데,
나는 그 마음을 정말 아무것도 아닌 듯이
귀찮은 듯 밀쳐냈었구나.

작지만 컸던 그 때의 아침 밥상을
이제야 온전히 받아요, 엄마.
천 금으로도 살 수 없는 그 마음을요.

엄마가 먹고 싶었던 건 뭐였어?

"뭐 먹으러 갈까?"
라는 물음에 엄마의 기준은 언제나 아빠, 아니면 우리였어.

평생 당신이 먹고 싶은 음식을 고르지 못하던 엄마.

지금껏 가족들을 위한 밥상을 차려주던 엄마잖아.
남이 차려주는 밥상인데, 진짜 엄마가 먹고 싶었던 메뉴를
고르면 어때...
그런데 그 순간조차도 엄마는 아빠나 우리가 먹고 싶은 음
식만을 생각했어.

고기 굽는 불판앞에서 엄마는 파스타가 먹고 싶지 않았을까?
뜨끈한 설렁탕이 아니라 우아하게 커피와 브런치를 먹고싶지 않았을까?
추어탕을 드시는 아빠앞에서 밥과 반찬만 먹던 엄마는 먹고 있는데도 배가 고프지 않았을까?
아빠는 알고 계셨을까?
엄마가 추어탕을 드시지 못한다는 걸...

어쩌다 엄마와 나 단 둘이 외식을 할 기회가 되어도,
간단한 분식이나 짜장면이나 먹자던 엄마.

집 밥에 질렸던 엄마는 조금은 불량스러운 '세속적인' 음식이 그리웠던 걸까?
아빠나 우리에게는 차마 직접 해 주지 못했던 MSG 풍미가득한...

값비싼 음식보다 나와의 시간이 소중했던 엄마의 마음을
알아요. 그래도 엄마 정말 궁금해.

엄마가 진짜 먹고 싶은 메뉴는 뭐였어?
한번 가보고 싶은 식당은 어디였어?

이제는 엄마 마음이 가는대로 다 해도 괜찮아.

이게 어려운 일이 아니야, 엄마.
엄마가 먹고 싶은 메뉴를 고르는 거.
엄마가 가고 싶은 식당을 선택하는 거.

너무 쉬운 일이야.
아빠가, 내가, 가족들이 아니고
엄마가 원하는 데로 가 보자.

언젠가 나도 엄마때문에 울부짖겠지

엄마의 엄마가 돌아가시던 날.

엄마는 어린 아이처럼 그렇게 얼굴을 온통 찡그리며 서럽게 울었어.
화장을 하고 돌아오던 길가에 있던 설렁탕 집.
왜 꼭 거기서 멈추고, 밥을 먹어야 하는지 모른 채 나는 어른들을 따라 식당으로 들어갔어.

다 식어서 김도 올라오지 않는 설렁탕을 겨우 한 숟갈 입 속에 밀어넣던 엄마.

"그래도 밥이 넘어 가다니..."

하지만 막상 엄마는 한 숟가락도 넘기질 못했잖아.

할머니의 납골당에게 찾아가 말할 땐 대구 사투리로 엄마는 엄마의 엄마의 불렀어.
"어무이 제가 왔심더, 잘 지내셨지예?..."

그런 엄마를 보면서 나는 미래의 내 모습을 보는 것 같아 미리 슬퍼져.
나도 언젠가는 화장터 불구덩이 속으로 들어가는 엄마의 마지막 모습을 보며 어린 아이처럼 울부짖겠지.

설렁탕을 넘기는 나를 경멸하겠지.
엄마의 무덤에 찾아가 하염없이 그리움과 자책의 눈물을 흘리겠지.

그래서 지금, 오늘이 감사해요.

이렇게 엄마와 평범한 일상을 함께 할 수 있어서.

전화하면 내 이름을 불러주는 엄마 목소리를 들을 수가 있어서.

엄마가 좋아하는 칼국수나 수제비를 앞에 놓고 같이 먹을 수가 있어서.

엄마와 내가 오래 살던 그 집, 초인종을 누르면 달려 나오는 엄마를 볼 수가 있어서.

텅 빈 거실에서 엄마는 무슨 생각을 했어?

자식들도 이제는 각자 '알아서'
자기 꿈을 향해 나갈 때
퇴직한 아빠도 여전히 자기 일을 좇아
현관문을 나설 때,
덩그렇게 빈 거실에 남은 엄마는 무슨 생각을 했어?

엄마의 꿈이, 젊은 청춘이 그립지는 않았는지.

쾅! 닫고 나가는 문소리가 빈 집에 메아리처럼
들려 올 때면 말이야,
갑자기 혼자 덩그러니 거실에 남겨진 시간이
외롭진 않았는지...
그래서 그동안의 희생이 덜컥 억울하진 않았는지...

엄마는 아마 쓸쓸했을 거야.
이따금 텅 빈 거실에 나 혼자 있을 때면,
그런 내 모습 위로 그 때의 엄마 모습이 겹쳐져 또 마음이
아파.

서둘러 뛰쳐나가기에만 급급했던 그 때,
잠시 뒤돌아 볼 껄, 잠시라도 엄마의 손을 잡고 말해 드릴
껄.

"고마와, 엄마. 그동안 애써서 키워주신 덕분에
나 좋은 대학도 입학했고, 이제 내 걱정은 안 해도 돼.
이제부터 엄마도 마음 푹 놓고, 그동안 하고싶었던 거
맘껏 해요, 진짜 고마와, 엄마"

1분이라도 시간 내서 이렇게 말하고 집을 나섰더라면,
쿵! 하는 현관문 소리가 엄마 마음을 때리진 않았을 테지.

핸드폰을 사고 카톡을 배우고 문자 입력을 배운 엄마.
잘 보이지 않는 눈으로, 서툰 손놀림으로 복잡한 한글 자판
을 익히느라 애쓴 많은 시간들은 엄마를 얼마나 힘들게 했
을까?

딸에게, 아들에게 말을 하고 싶었던 엄마의 간절함이
이 어려운 과정을 기꺼이 견디며 결국은 해내게 되었다는
걸 알아.

힘내라 힘내라
우리딸 제발힘내라

힘내라, 힘내라
우리 딸, 제발 힘내라

이 마음을 말로 전했으면 어땠을까?
"힘 내, 니가 힘내야지 어떻하니?" 정도?

하지만 받침글자, 띄어쓰기 모두 서툴게 입력해간 엄마의
메세지는 엄마의 말보다 더 간절했어.
엄마 자신을 위해서라면 흐려진 시력으로 이 어려운 일을
시도조자 하지 않았겠지.

고마워, 엄마.
이렇게 나를 붙들어 주어서.

"카페에서 커피마시면서 얘기도 많이 하고, 시간을 보내는 게 이렇게 좋은 줄 여태 몰랐다."

어느 날엔가 엄마는 이런 얘기를 했어.
엄마 자신이 좋아하는 건 좀처럼 먼저 이야기 하지 않는 엄마가 이런 것이 참 좋다,라고 말해 줄 때 나는 미안하기도 하고 고맙기도 했던 것 같아.

지금껏 엄마의 인생에는 이런 시간이 없었을 테지.

커피와 예쁜 디저트를 먹으면서 한가하게 오랫동안 수다를 떨며 보낼 수 있는 사치스런 시간이...

남편과 자식을 위해서 매일 동동거리면서 주방과 시장을 오가고, 그들의 필요를 위해서만 채워진 엄마의 시간이 빛을 잃은 별처럼 보여서 마음이 아파요.

이렇게 좋게 느껴지는 시간을 이제야 발견했는데
이제 이런 곳을 찾아 주저없이 다닐 수 있을 만큼,
엄마의 몸과 마음의 동력이 약해진것 같아 안타깝기만 해.

내가 같이 해 줄게.

엄마가 좋아하는 것에 용기를 내서
한 발 내딪어 보았음 좋겠어.
이제는 자꾸 세상 밖을 바라보았음 좋겠어.

엄마의 손을 감추지 말아요

엄마의 손은 늘 부어있었어.
마디 굵어진 손가락이 부끄러워 반지 낀 손조차 보란 듯 드
러내지 못하시던 엄마.

엄마의 손을 생각하면 거칠고 주름진 피부만큼이나
내 마음도 울퉁불퉁해져.

어느 날부터인가 나는 엄마의 손을 잡지 못했던 것 같아.
엄마의 손을 잡으면 한없는 죄책감에 괴로울 것만 같았어.
그냥 쳐다만 봐도 알 수가 있었으니까.

오늘도 쉬지 못한 손이구나.
방금 전까지도 물을 적시며 노동을 마친 손이구나.

엄마의 손을 꼭 잡으면 어떤 느낌이었더라.

어쩌면 엄마는 누군가 엄마의 손을 꼭 잡고 뭔가 위로의 말
을 건네주었으면 바랄 때도 있었을 것 같아.

딸인 나는 왜 그런 마음을 표현하지 못할까?...
엄마의 손에서 내 손을 모습을 보는 것 같아서, 나도 엄마
에게 그런 내 손이 부끄러워서 일까?

엄마의 손을 부끄러워 하지 않았음 좋겠어.

엄마의 그 손이 우리를 키우고, 살아가게 해 준 손이니까.
부은 손과 굵어진 마디 사이로 우리의 생명력이 스며있어.

나를 키우고 지켜준 엄마의 손이 자랑스럽고
한없이 소중하고, 한없이 고마워.

왜 자꾸 미안하다고 말하는 건데

그동안은 들어보지 못했던 말.
자꾸 약해지는 엄마는 자꾸만 나한테 미안하다고 말해.

뭐가 미안해.
내가 미안하지

명절, 생신날 당연히 드리는 조금의 용돈봉투를 받으면서도
미안하고
칼국수, 자장면 한 그릇 계산하는 나에게도 미안하고,
밟으면 나가는 게 자동차인데 고작 20-30분 거리 모셔드
리는 것도 미안하고,
커피 한잔했을 뿐인데 시간 빼앗았다며 마안하고,
심지어 엄마가 아파도 나한테 미안하고...

이런 거 말고, 자식에게 이것도 사달라, 저것도 사달라 그
런 말도 해 주면 좋겠어.

그렇게라도 해서 내가 평생 엄마에게 빚진 것 같은
이 마음을 갚아가게 해 줘.

엄마의 기도 자리는 우리 집 어느 곳이었을까?

엄마는 어디서 울었어?

내 아들이 고등학교 입학 시험을 보고 결과를 발표하던날
나는 가슴이 터질 것만 같이 긴장했어.
입시기간 내내 새벽기도를 드렸고, 간절했던 마음으로 하루
하루가 힘들었어.

엄마도 그러했을까?

내가 대학입시를 보던 날, 취업 시험을 보던 때.
나보다 더 떨리는 마음으로, 마음 조여드는 긴장으로 내내
시간을 보냈을 텐데,

나는 그저 내 마음 힘든 것에만 집중하느라, 엄마 얼굴을
보면서도 엄마 마음은 못 봤어.

보통때 처럼 웃어주고, 말을 건네주던 엄마는 아마 나보더
더 떨리고 긴장된 시간을 보내느라 지쳐있었을 텐데 말이
야.

지금와 돌이켜 보니 엄마는 엄마의 힘든 감정을 좀처럼 표현하지 않았던 것 같아. 내가 듣는 잔소리를 통해서 나는 엄마의 감정을 짐작할 뿐이었던 것 같아.

엄마가 화가 났구나, 실망했구나, 속상하구나 등등...

엄마는 대체 우리 집 어느 구석에서 아픈 마음을 내어 놓았던 거야?

나는 가끔 꾹꾹 참았던 감정을 견디지 못하고 어른답지 못하게 울음이 타질 때가 있어. 그런 울음소리를, 눈물을 가족들에게 보이고 싶지 않아서 숨어 버린곤 했거든.

아픈 몸과 마음을 숨길 수 있는 엄마의 동굴은 어디였을까?

옷들이 쌓여있던 작은 방이었을까?
물소리가 요란했던 화장실 안 이었까?
주방 한 구석 혹은 차가운 베란다 난간 앞이었을까?

그 힘든 시간들을 어깨에 매고도 무겁다 한 마디 하지 않았던 엄마...

엄마의 마음을 위로해 주었던 그 작고 쓸쓸했을 공간을 이제는 내가 대신해 주었으면 좋겠어.

더이상 엄마의 동굴 안으로 혼자 숨지 말고,
나에게 엄마 마음을 표현해 줘요.
내가 그 마음 같이 나눠 가질께.

엄마의 손글씨를 간직해

현관 문을 열었을 때, 아니면 외출하고 돌아왔을 때,
현관 앞에 놓인 가방, 각양각색의 봉투들, 그 속에 보이는
낯익은 그릇들을 보곤 했어.

엄마가 왔다 가셨구나.
무거운 짐을 들고 로비 층의 문이 열리기를 하염없이 기다
렸다가 입주민이 들어오거나 나갈 때에야 그 틈에 함께 들
어왔을 엄마.

현관 문 앞에 음식을 갖다놓고는 초인종도 누르지 않은 채
돌아서면서 엄마는 무슨 생각을 했어?

닫힌 현관문을 물끄러미 바라보면서 엄마 마음은 조금은 외
로웠을 것 같아.

우리 딸 집에 있을까?라며 내내 얼굴 잠시라도 보고 싶지는
않았을까?

초인종을 누르지 못하고 돌아서는 엄마 마음을 생각하곤 해. 이렇게 귀한 음식들을 직접 가져다 주는 것만도 감사한 일인데, 그걸 받아가는 것조차 딸에게 부담이 될까 염려하는 마음이었겠지.

가방 안에서 끊임없이 나오는 식재료들...

시금치, 다시마, 멸치, 햇 고춧가루...
나는 봉투 위에 붙어 있는 엄마의 손글씨 스티커를 물끄러미 바라보곤 해요.

결혼한지 10년도 넘는 딸이 혹시라도 뭔지 모를까봐?
스티커 위에 손글씨를 쓰고 행여나 이동중에 떨어질까
스카치 테이프로 마감까지 해 준 엄마...

나는 그런 엄마의 투박한 손글씨를 떼어다가 내 다이어라 사이에 끼워 놓았어.

나중에 엄마가 내 곁에 없을 때가 오면,
이 손글씨를 만져보려구.
꾹꾹 눌러쓴 손글씨 위로 왠지 엄마의 따뜻한 체온이
느껴질 것만 같아...

다시마

햇 고춧가루

잔멸치

시금치

그런 것들 별 거 아니야

엄마는 늘 앞장 서 주었잖아.
좋은 식당에 데려가 주고, 당연히 엄마의 지갑에서 계산을
하고, 예쁜 옷, 가방, 신발, 나의 필요를 언제나 주도적으로
챙겨주던 엄마였는데...

키오스크 앞에서 망설이는 엄마,
KTX를 타러 기차역까지 가서 표를 예매해야만 하는 엄마.
매표소가 없어 보고 싶은 영화를 어떻게 봐야 할지 모르겠
는, 식당 테이블에 앉아 네모난 탭을 보여 당황하는 엄마

사람 목소리 나오지 않는 고객센터, 손가락 하나로 결재,
배송까지 해결되는 온라인 주문...

이 모든 당연한 세상 앞에서 주저하고 약해 지는 엄마의 모
습을 바라 보곤해.

때로는 길가 인도에 서서 손을 휘저으며
지나가는 택시들을 야속하게 바라보는 어르신들을 보게 되.

우리 엄마도 추운 겨울, 왠지 엄마 앞에선 멈추지 않는 택
시를 애타게 손흔들며, 동동거리며 기다리고 있지 않을까?

그런데 엄마, 그런 것들 별 거 아니야.
못하겠음 뒤에 줄 선 젊은 사람들에게 기꺼이 도움을 구해
도 돼. 내가 민폐를 끼치지 않을까 걱정 따위 하지말고 당
당하게 도움을 구해도 돼.

모두들 도와줄 거야.
그들도 엄마와 같은 부모임이 있을 누군가의 아들, 누군가
의 딸이니까.

자식에게 의존하지 못하면 스스로 아무 것도 할 수 없는 세
상이라며,
엄마가 용기를 잃지 않기를 바래.
변화하는 세상을 두려워하지 않기를 바래.

지금까지 살아온 세상과는 달라진 이 세상을
엄마가 마음껏 즐겨보았으면 좋겠어.

용기를 가지고 한 발 내딛어 보면,
정말 신기하고 재미있는 일들이 많아.

엄마의 별이 엄마였음 좋겠어,

내가 아니고....

엄마의 꿈은 뭐였어?
엄마도 나처럼 하고 싶은 것, 잘 하는 것이 많은 멋진 여성
이었잖아.
결혼하고 우리를 키우면서 엄마는 엄마의 이름을 잊고, 엄
마로만 살았잖아.

엄마의 별이 엄마였음 좋겠어.
나나 남동생이나 남편이 아니고.

그냥 엄마 이름을 가진 별로 반짝였음 좋겠다구.
엄마가 하고 싶은 것, 하고 싶었던 건 뭐였어?
내가 도와줄게.
같이 해보자.
지금, 여기서.

오늘도 엄마를 위해 기도해요.

내가 알지 못했던 엄마의 청춘과
묻혀버린 엄마의 꿈을 꺼낼 수만 있다면,
손발이 닿도록 문지르고 문질러,
빛을 내 드리고 싶어요.

힘들고 지쳤던 엄마의 마음을
꺼낼 볼 수만 있다면,
밤새도록 감싸고 감싸서
따뜻하게 해 드리고 싶어요.

엄마가 저를 위해 하셨던 것처럼요.

끝까지 나의 엄마로 살아주셔서
정말 감사하고, 사랑해요

사랑하는 엄마에게

엄마의 별이 엄마였음 좋겠어, 내가 아니고
발 행 | 2024년 3월 11일
저 자 | 북소리
펴낸이 | 한건희
펴낸곳 | 주식회사 부크크
출판사등록 | 2014.07.15.(제2014-16호)
주 소 | 서울특별시 금천구 가산디지털1로 119 SK트윈타워 A동 305호
전 화 | 1670-8316
이메일 | INFO@BOOKK.CO.KR
ISBN | 979-11-410-7596-5
WWW.BOOKK.CO.KR
ⓒ 북소리 2024
본 책은 저작자의 지적 재산으로서 무단 전재와 복제를 금합니다.